ACTES SUD JUNIOR
est dirigé par Madeleine Thoby

UNE VIE
D'OURS
TOUT SIMPLEMENT

Titre original :
Ein Bärenleben
© Carl Hanser Verlag, Munich, Vienne, 1995

© Actes Sud, 1996
pour l'édition française
ISBN 2-7427-0780-8

*Loi 49-956 du 16 juillet 1949
sur les publications destinées à la jeunesse*

MARTIN GRZIMEK

UNE VIE D'OURS
TOUT SIMPLEMENT

TRADUIT ET ADAPTÉ DE L'ALLEMAND
PAR ANNE GEORGES

Illustré par
MARCUS HERRENBERGER

ACTES SUD JUNIOR

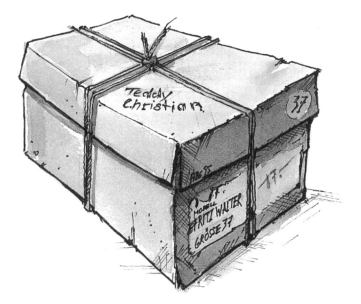

C'était un petit ours en peluche, sagement couché
au fond d'une ancienne boîte à chaussures.
Il ne savait pas depuis combien de temps il était
enfermé dans cette boîte, il ne savait pas non plus
où était cette boîte. Gisait-elle au fond d'une armoire ?
Était-elle enfouie dans le tiroir d'une commode ?
À la cave ? Au grenier ? Qui s'en souvenait encore ?
Le petit ours ne voyait rien. Il n'avait plus qu'un œil,
c'est vrai, mais s'il ne voyait rien, c'était juste
parce que, dans cette boîte, il faisait noir comme
dans un four.
Le petit ours n'entendait presque rien non plus,
dans cette boîte, même lorsqu'il tendait autant
que possible son unique oreille.
Car il faut dire aussi qu'il n'avait plus qu'une oreille.

Il trouvait que ça sentait très mauvais, dans cette boîte,
une odeur bizarre d'air confiné, de ranci et de moisi.
Enfin, le petit ours était très à l'étroit.
Il ne pouvait ni s'étirer ni s'asseoir sans se cogner
aux côtés ou au couvercle de sa prison de carton.
Il avait bien essayé de s'échapper, mais rien à faire,
la boîte était solidement ficelée. Il avait beau appeler
au secours, personne ne l'entendait.

Alors le petit ours en peluche passait le plus clair
de son temps à dormir. Qu'aurait-il pu faire d'autre ?
Et ça lui plaisait de dormir, parce qu'il rêvait beaucoup.
Il rêvait souvent d'un vieux saule, qui l'effleurait
de ses branches fines et souples, comme de longs
doigts verts. Ou bien d'un écureuil, qui l'emmenait
construire une cabane dans la forêt, une vraie
cabane d'ours. Il rêvait aussi de la grande sacoche
d'un facteur, qui l'entraînait dans un long voyage.
Parfois, il faisait aussi de mauvais rêves, de vrais
cauchemars : celui de la marmite toute cabossée
ou bien celui du porte-monnaie perdu.
Pour leur échapper, il se dépêchait de se réveiller.

Lorsqu'il n'avait plus envie de dormir et de rêver
et qu'il s'ennuyait ferme dans sa vieille boîte sombre,
étroite et qui sentait le moisi, le petit ours se racontait
une histoire.

Une histoire qui commençait toujours de la même façon :

« Il était une fois un petit ours en peluche qui avait été fait prisonnier par un vilain garçon. Un jour, une petite fille vint le délivrer. Elle l'emmena chez elle, dans sa chambre. Chaque soir, après son bain, lorsqu'elle sentait bon le savon pour enfants, la petite fille installait confortablement le petit ours sur son oreiller. Puis elle prenait un gros livre d'images et commençait à lui lire une histoire. C'était pour le petit ours un tel moment de bonheur qu'il s'endormait très vite, sans même attendre la fin de l'histoire ! »

Le petit ours aimait tant se raconter cette histoire-là qu'il la savait par cœur. Il aurait bien voulu être allongé sur l'oreiller douillet d'une petite fille à l'odeur sucrée de savon pour enfants, mais il ne pouvait que regretter d'être enfermé dans cette vieille boîte à chaussures de foot et soupirer tristement.
Le vilain petit garçon de l'histoire avait bel et bien existé ; il s'appelait Mathieu.

Lorsqu'il fit la connaissance de Mathieu, le petit ours
était posé sur une table, parmi toutes sortes de jouets
flambant neufs : il y avait des livres, un train en bois,
un ballon de foot, un album d'images à colorier et
un jeu de mikado. Le petit ours aussi était tout neuf,
ses yeux pétillaient de malice, il dressait fièrement
ses deux oreilles et son cou s'ornait d'un joli ruban.
Mathieu était entré en coup de vent dans le salon.
Il avait des cheveux châtain clair, un visage rieur
au nez retroussé. Le petit ours se souvenait
qu'il portait ce jour-là un pull-over couleur tilleul.
Parmi tous les jouets présentés sur la table, il avait
        d'abord choisi le petit ours en peluche, qu'il
            avait remarqué au premier coup d'œil.
                Il l'avait montré avec jubilation
                    aux copains invités ce jour-là
                    pour fêter son cinquième
                    anniversaire :
                        – Lui, c'est mon
                            copain préféré !

Les autres lui avaient demandé quel nom il allait
donner à son ours. Mathieu n'avait pas répondu
tout de suite. Il avait réfléchi un peu, en serrant
tendrement contre lui le petit ours tout neuf,
puis il avait décidé :
– Il s'appellera Léon, comme mon grand-père.
Le soir, Mathieu installa confortablement le petit
ours en peluche dans son lit. Léon eut droit
à un coussin et à une couverture, une couverture
que la maman de Mathieu avait tricotée tout exprès.
Avant de s'endormir, Mathieu aimait bien raconter
à Léon tout ce qui lui était arrivé dans la journée et,
surtout, il lui confiait ses frayeurs.
Il lui chuchotait par exemple qu'il avait très peur
du feu qui brûlait dans le poêle de la chambre.
En hiver, la mère de Mathieu bourrait le poêle
de tant de bois et de charbon qu'il devenait tout
rouge. Sous la couette, Mathieu et Léon transpiraient
très fort, à cause de la chaleur, mais aussi parce qu'ils
avaient peur que le poêle explose.
En ce temps-là, Mathieu et Léon étaient inséparables.
La mère de Mathieu devait coudre pour Léon
les mêmes vêtements que pour son fils, dans
le même tissu. Léon était aussi pourvu d'un sabre,
pour se défendre contre les cambrioleurs
ou contre les brigands qui risquaient de l'attaquer,
pendant que Mathieu était à l'école.

Le samedi, Mathieu et Léon allaient souvent jouer
au bord de l'étang. Ils avaient une cachette secrète,
dans les roseaux, à un endroit où seules
les libellules pouvaient les voir. Léon s'allongeait
sur le dos et, les bras croisés sous la tête, il laissait
son regard se perdre dans le bleu du ciel.
Rien ne lui laissait deviner que son bonheur
tranquille allait si brusquement s'achever.
Vint le sixième anniversaire de Mathieu.
À cette occasion, on offrit un chien au petit garçon ;
pas un chien en peluche, non, un vrai chien,
avec des poils roux tout ébouriffés et de longues
oreilles pendantes. Il répondait au nom de Nestor.

À partir de ce jour, Mathieu ne fit plus cas de Léon.
Toute la journée, il jouait avec ce stupide chien :
– Assis, Nestor, donne la patte, Nestor, aboie,
attrape, va chercher, rapporte, Nestor.
Nestor, toujours Nestor, il n'y en avait plus que
pour lui ! Blotti sous sa couverture, le petit ours
en peluche était jaloux et bien malheureux.
Quand Mathieu était à l'école, Nestor venait souvent
farfouiller dans sa chambre. Naturellement, il avait
senti le petit ours depuis longtemps !
Heureusement qu'il était trop pataud pour sauter
sur le lit : cet idiot s'emmêlait toujours les pattes
dans ses longues oreilles.

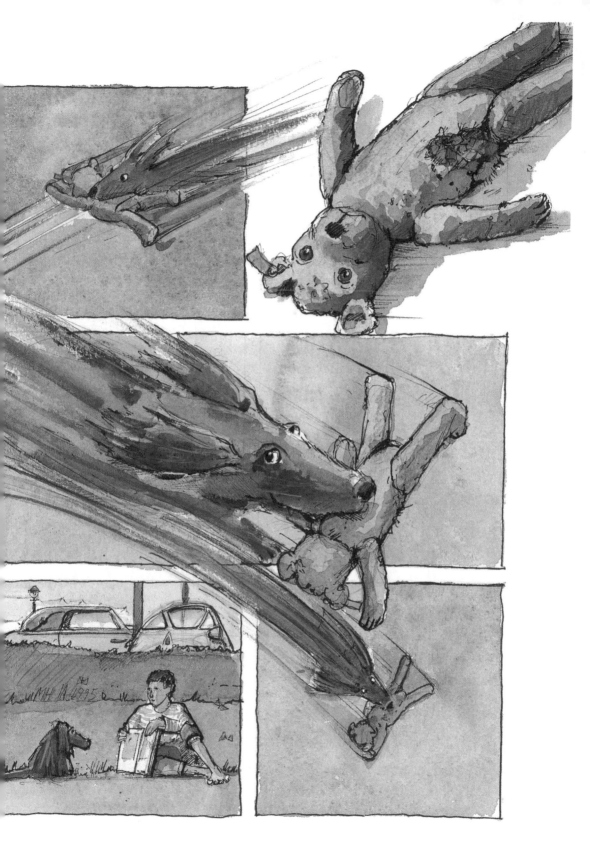

Un soir, Mathieu invita Nestor à dormir dans son lit !
Quand il vit Léon, le chien se mit à gronder
et à japper si fort que le petit ours, effrayé, faillit
empoigner son sabre.
Pour calmer son chien, Mathieu jeta Léon au fond
du placard de sa chambre. Il y resta longtemps,
très longtemps, des mois peut-être.
Le petit ours entendait Nestor japper et aboyer,
chaque jour un peu plus fort.
Il avait bien compris que cela signifiait que le chien
grandissait. Mais il était loin d'imaginer que
Mathieu, lui aussi, changeait.

Un jour, la porte du placard s'ouvrit brusquement
et la lumière du jour aveugla presque Léon :
– Tiens ! Tu es là, toi ! s'exclama Mathieu, comme si
le petit ours en peluche avait fait exprès de se cacher.
Et sans plus de façons, il fut retiré de dessous
un tas de pull-overs et jeté en l'air, rattrapé et jeté,
toujours plus haut, à en avoir le vertige ;
il finit par atterrir sur le plancher du couloir,
près de l'étagère à chaussures.
Un peu groggy, Léon entendit les aboiements
furieux de Nestor en même temps qu'il sentit les
crocs pointus du chien s'enfoncer dans sa fourrure.
– Ici, Nestor, rapporte-moi Léon ! hurla Mathieu.
Mais Nestor n'était pas d'humeur à obéir.

Il traversa le salon à toute allure, se précipita sur
la terrasse, puis dans le jardin et fila entre les fleurs,
droit vers la haie couverte d'épines.
Ç'en était trop pour Léon, qui préféra s'évanouir.

Lorsque le petit ours en peluche se réveilla,
une longue aiguille dansait devant ses yeux et il était
couché sur les genoux de la mère de Mathieu.
– Mathieu, si tu recommences, tu seras puni
et enfermé pendant deux jours dans ta chambre !
Et Nestor restera dans la cave. Regarde, il a presque
ouvert le ventre de ce pauvre nounours.
Je t'avais pourtant interdit de faire entrer ce chien
dans ta chambre !
Léon fut bien content d'entendre que Mathieu
et son chien se faisaient gronder.
Quand Léon fut réparé, Mathieu l'emporta dans
sa chambre et l'installa avec précaution sur son
oreiller. Le petit ours savoura d'avoir le lit pour lui tout
seul. Pour se faire pardonner, Mathieu lui offrit un
grand verre de limonade qu'ils burent tous les deux,
surtout Mathieu... Le soir, Mathieu confia à Léon
son projet de construire une cabane dans la forêt.
– C'est juré, tu pourras m'aider, mais c'est un secret,
lui chuchota Mathieu à l'oreille. Un secret qu'il ne faut
dire à personne. Surtout pas à Gilbert ou à un garçon
de sa bande !

Vinrent les vacances d'été. Dès le premier jour,
Mathieu boucla Léon dans son sac à dos et
ils partirent dans la forêt. Il avait tout prévu :
une scie, une hache, un marteau, une boîte de clous,
une bobine de ficelle, une bouteille de limonade
et deux petits pains garnis.
Seule la tête du petit ours dépassait par l'ouverture
du sac. C'était la première fois que Léon allait
en forêt et il fut impressionné par les énormes troncs
d'arbre qui semblaient monter jusqu'au ciel
comme par le craquement des feuilles sèches sous
les semelles de Mathieu.
Chemin faisant, Mathieu raconta à Léon toutes
sortes d'histoires, surtout des histoires d'Indiens.
Le petit ours en connaissait déjà beaucoup, c'étaient
celles que la mère de Mathieu leur lisait, le soir.
Ces histoires parlaient d'un petit indien qui
s'appliquait à devenir un vrai chasseur et qui avait
à cœur de tout apprendre : comment attraper
des poissons à la main, comment lire les empreintes
sur le sol, comment marcher sans bruit et comment
faire un feu sans fumée.

Il fallait toujours être très malin et courageux,
et ne jamais tricher.
– Même avec ses plus farouches ennemis, conclut
Mathieu.

Léon s'apprêtait à lui demander si Gilbert et sa
bande étaient ses ennemis, mais son attention fut
attirée par le nouveau chemin que Mathieu suivait.
L'air avait une drôle d'odeur, une odeur qui rappelait
celle du bois coupé pour se chauffer pendant l'hiver.
Les feuilles ne craquaient plus sous les pas
de Mathieu et celles des arbres qu'ils
frôlaient étaient fines et piquantes, comme
des aiguilles. Mathieu choisit enfin
l'endroit où s'arrêter. Il posa son sac
à dos et en sortit le petit ours. Il lui
noua un morceau de ficelle autour
de la tête et y glissa une plume.

Puis il l'assit sur une souche d'arbre et dit :

– Tu as l'air d'un vrai petit indien. Pendant que je construis la cabane, tu feras le guet. Si Gilbert arrive, avertis-moi vite, n'aie pas peur de crier très fort ! Compris ?

Mathieu et Léon retournaient tous les jours jouer en forêt ; quelquefois, Nestor les accompagnait. Léon n'avait plus peur de lui, puisqu'il était un vrai petit indien et que les Indiens n'ont pas peur des chiens ! Il montait chaque jour la garde, tout en surveillant Mathieu du coin de l'œil.

Celui-ci prétendait couper de très grosses branches, mais Léon s'aperçut vite que Mathieu n'entassait que de petites branches et que sa cabane, construite à même le sol, n'était ni très grande ni très haute. Lorsqu'il estima qu'elle était finie, Mathieu fut si content qu'il entraîna Léon dans une danse du scalp effrénée, tout autour de la cabane.

Le lendemain, Mathieu avait décidé de faire un feu,
devant la cabane, et d'y cuire un repas.
C'est pourquoi il avait mis dans son sac à dos
une petite marmite, quelques cubes de bouillon
et des allumettes.
– On ira prendre de l'eau au ruisseau et il y a partout
plein de plantes bonnes à manger, des pommes
de pin, des framboises, des champignons.
Tu vas voir quelle délicieuse soupe je vais te préparer !
promit-il à Léon.
Celui-ci connaissait maintenant très bien le chemin
qui conduisait à leur cabane. Il penchait hors du sac
sa tête toujours ornée d'une plume d'Indien pour
écouter le gazouillis des oiseaux et les mille petits
bruits de la forêt.

Un craquement bizarre lui fit soudain dresser l'oreille.
Il pensa à des chevreuils et il crut voir des ombres
se cacher derrière les arbres.
– Des chevreuils, c'est impossible, se dit-il,
ils ont quatre pattes, et ceux qui nous suivent
n'en ont que deux.
En plus, Mathieu lui avait expliqué que les chevreuils
s'enfuient lorsqu'ils voient des êtres humains ou des
ours. Alors, qui les suivait ou qui les espionnait ?
Gilbert et sa bande, naturellement ! Léon essaya bien
d'alerter Mathieu, en criant et en agitant ses petites

jambes, mais celui-ci n'entendit ni ne vit rien,
car il était en train d'imaginer une délicieuse recette
de soupe aux pommes de pin. À peine arrivé
à la cabane, Mathieu assit le petit ours en peluche
sur la souche d'arbre et partit chercher de l'eau.

Lorsque Léon se retrouva seul, ses craintes
se confirmèrent. Il n'entendait plus seulement
des frôlements ou des craquements, il entendait
aussi des voix. Quand Mathieu revint en portant
avec précaution la marmite pleine d'eau,
il ne prêta aucune attention aux divers bruits
et il se mit tout de suite à préparer son feu.
Léon voulut le prévenir en criant : Attention !
Gilbert et sa bande arrivent !
Mais trop tard, Gilbert et sa bande étaient déjà là...
– Tiens, mais on dirait Mathieu, s'exclama Gilbert.
Qu'est-ce que tu bricoles ? Tu joues à la dînette ?
Mathieu était trop effrayé pour articuler un seul mot.
– Elle a l'air bien, ta cabane ! poursuivit Gilbert,
on peut visiter ?
Sans faire l'effort de se baisser pour entrer, Gilbert
se contenta d'arracher quelques branches.
Les trois autres garçons firent comme lui, et bientôt
la maison ne fut plus qu'un tas de branches cassées.
Ils renversèrent l'eau de la soupe, éparpillèrent
les pierres du foyer et piétinèrent le feu.

Ils confisquèrent la hache, la scie, le couteau
et la ficelle ; avant de partir, ils s'amusèrent
à shooter dans la marmite.
Lorsqu'ils eurent disparu dans la forêt, Mathieu
s'assit par terre et fondit en larmes. Sa chère cabane !
Et comment expliquer à ses parents la disparition
de la hache, du couteau, de la scie et de la marmite ?
Léon avait assisté à toute la scène, les yeux
écarquillés par la peur. Il se sentait aussi désespéré
que Mathieu : l'un des garçons lui avait même
arraché sa plume.
Soudain, Mathieu sauta sur ses pieds, prit son sac
à dos et partit sans dire un mot. Léon écouta ses pas
s'éloigner, terrifié à l'idée d'être ainsi abandonné.
Tout redevint un moment silencieux, puis il entendit
quelqu'un courir et Mathieu l'empoigna.
Léon n'eut pas le temps de se réjouir de son retour
car Mathieu lui dit d'un ton menaçant :
– C'est de ta faute ! Tu n'as pas fait attention !
Tu vas me le payer !

Sur le chemin du retour, le petit ours n'eut pas
le droit de mettre son museau hors du sac à dos.
Mathieu l'avait tout simplement fourré pêle-mêle
avec ce qui s'y trouvait encore, les allumettes,
les cubes de bouillon et le couvercle de la marmite.
À la maison, Mathieu se fit gronder par sa mère,

qui voulait savoir où était passée la marmite,
et par son père, qui avait besoin de ses outils.
Il finit par raconter en sanglotant l'histoire
de sa cabane et l'attaque de Gilbert et de sa bande.
– Ce sont de vrais petits voyous ! s'exclama son père
qui, furieux, partit sur le champ récupérer ses outils
chez les parents de Gilbert.

Mathieu fut néanmoins puni et envoyé au lit.
Sans un mot, il enfouit son ours sous son oreiller.
Léon mit beaucoup de temps à s'endormir.
La lumière de la lampe de chevet le réveilla et il vit
Mathieu se glisser hors de la chambre et revenir
peu de temps après, la boîte à pharmacie de sa mère
sous le bras. Il s'assit en tailleur sur le lit et prit une
grosse trousse au fond de la boîte.
Léon eut un sombre pressentiment. Pourquoi tout
cet attirail ? Serait-il blessé ? Il palpa avec précaution
son ventre. Non, tout allait bien. Un des garçons
de la bande de Gilbert l'avait peut-être écorché
à la tête, en lui arrachant sa plume ? Mais Mathieu
l'empoigna brutalement et l'allongea sur ses genoux :
– À ton tour d'être puni ! siffla-t-il entre ses dents.
Avec appréhension, Léon vit Mathieu ouvrir
lentement la boîte à pharmacie. Il entendit un bruit
de papier déchiré, puis les doigts du petit garçon
appuyèrent de toutes leurs forces sur son museau.

Mathieu lui collait tout simplement un gros
morceau de sparadrap sur la bouche.
Mathieu s'en fut ranger la boîte à pharmacie
et éteignit la lampe. Le petit ours voulut crier,
mais il n'émit qu'un faible grognement. Il essaya
d'arracher le sparadrap qui lui tiraillait les poils,
sans succès car ses pattes n'avaient pas de griffes.
Résigné à prendre son mal en patience,
il était sur le point de s'endormir, quand il entendit
Mathieu pleurer à chaudes larmes.
– Il regrette ce qu'il a fait, pensa-t-il, dès demain,
il m'enlèvera cet affreux pansement.
Le lendemain matin était le jour de la rentrée
des classes. Mathieu se dépêcha d'aller à l'école
et il en oublia son ours, que sa mère découvrit
en faisant son lit.
– Dans quel état Mathieu a-t-il encore mis
son nounours ! s'indigna-t-elle.

Elle débarrassa Léon de son sparadrap et l'emporta
dans sa chambre. Elle l'installa sur sa table de nuit
en maugréant :
– Un peu de repos te fera du bien. Je te rendrai
à ce chenapan de Mathieu quand il sera plus
raisonnable !
Au début, Léon fut reconnaissant à la mère
de Mathieu de lui avoir rendu la parole. Il regrettait
seulement de n'avoir plus personne à qui parler.
Les parents de Mathieu venaient se coucher tard
et éteignaient aussitôt la lumière.

Le matin, ils partaient tôt et jusqu'au soir, plus rien
ne venait troubler le silence de la chambre.
Le petit ours en peluche pensait à Mathieu.
Il se disait qu'il aurait préféré lui servir de ballon
de football, ou même se laisser scotcher une
nouvelle fois la bouche, plutôt que de continuer
à s'ennuyer à mourir dans la chambre des parents.
Une nuit, il fut tiré de son sommeil :
c'était Mathieu qui l'emmenait dans son lit.
– J'ai envie que tu reviennes dormir avec moi,
chuchota-t-il en posant sa joue sur la tête de Léon,
j'ai quelque chose d'important à te raconter.
Le petit ours apprit alors que Mathieu était devenu
l'ami de Gilbert et qu'il faisait maintenant partie
de sa bande.
– Imagine un peu, dit Mathieu, l'été prochain,
nous construirons tous ensemble une nouvelle
cabane, mais dans les arbres, cette fois.
Tu viendras avec nous pour faire le guet. J'espère
que tu feras plus attention que la première fois.
Léon était au comble de la joie. Mathieu et lui
restèrent éveillés une bonne moitié de la nuit,
à échafauder ensemble de merveilleux projets.
Le lendemain matin, ils n'entendirent pas
la sonnerie du réveil. Quand elle vint le réveiller,
la mère de Mathieu fut tout attendrie de voir
son fils endormi qui serrait son ours dans ses bras.

À compter de cette nuit-là, Léon attendit l'été
avec impatience. Avant, il y eut Pâques.
C'est à cette époque que Mathieu fit la connaissance
d'un écureuil qui nichait dans le saule, derrière
la maison. Chaque matin, le petit garçon déposait
sur la terrasse une soucoupe pleine de noisettes
où l'écureuil pouvait à tout moment venir se servir.
Un jour, ce dernier cessa ses visites.
– S'il te voit, peut-être reviendra-t-il, car toi aussi,
tu es un animal, dit Mathieu à Léon en l'asseyant
à côté de la soucoupe, avec ordre de monter
la garde pendant qu'il était à l'école.

Le petit écureuil ne réapparaissait toujours pas.
Un jour pourtant, alors que Léon s'était assoupi,
un petit coup sur l'épaule le réveilla en sursaut.
C'était l'écureuil !

– Tu as l'air d'un ours bien fatigué ! Pourquoi ne
viens-tu pas avec moi dans la forêt, au lieu de rester
bêtement assis là ? Tu es un animal des bois comme
moi. Tu sais, j'y retourne le plus souvent possible.
Allez, viens !

Léon savait bien que les ours vivent dans la forêt,
Mathieu le lui avait dit, mais il hésitait.

– J'ai là-bas tout plein d'amis, on s'amuse bien
ensemble, poursuivit l'écureuil en chipant une
noisette. Ici, on s'ennuie à mourir, tu ne trouves pas ?

Léon réfléchit : l'écureuil avait raison, il s'ennuyait.
Quand Mathieu avait fini ses devoirs, il allait bien
vite chez Gilbert, sans l'emmener, évidemment.
L'écureuil pourrait l'aider à trouver un arbre où, sans
attendre l'été, il commencerait à construire une
cabane, une vraie cabane d'ours des bois.

– D'accord, j'arri... !

Nestor, qui déboulait sur la terrasse en aboyant
comme un fou, l'empêcha de finir sa phrase.

– N'aie pas peur !, voulut-il ajouter.

Trop tard, l'écureuil avait déjà bondi
hors de portée du chien.

Il ne revint jamais.

À l'approche de l'été, tante Gertrude, qui était aussi
la marraine de Mathieu, vint passer une journée
avec lui. Il l'aimait beaucoup parce qu'elle lui parlait
de la grande ville où elle habitait, qu'elle portait
de jolies robes et qu'elle avait une drôle de façon
de parler, en jouant à inverser les syllabes ou
les mots. Elle disait par exemple « neraima »
au lieu de marraine, ou cuivre en pot au lieu de pot
en cuivre, ou « locochat » au lieu de chocolat.
Ce jour-là, elle portait un grand chapeau de paille
et une robe à fleurs.
– Les fleurs imprimées sont celles que je préfère,
pas besoin de les arroser, elles ne se fanent jamais,
avait-elle dit en riant à Mathieu, qui voulait voir
si les fleurs de sa robe ressemblaient à celles
du jardin. Avant de partir, elle offrit à Mathieu
un porte-monnaie qui contenait un billet :
– Tu pourras t'acheter ce que tu voudras, avec
ce billet ! Tu es un grand maintenant !
Mathieu, qui n'avait reçu jusqu'alors que de petites
pièces de monnaie, le montra avec fierté à Léon :
– Avec ça, je peux aller dix fois au cinéma ou
m'acheter un vrai arc avec des flèches ! Tu viendras
chasser des souris avec moi ?
Chasser des souris ! Léon en eut la chair de poule.
Depuis que Mathieu faisait partie de la bande
à Gilbert, il ne parlait plus que de tir aux moineaux,

de chasse aux souris ou de jouer à faire peur
aux gens. Léon ne comprenait pas bien de quoi
il s'agissait. Par contre, il savait très bien
ce que Mathieu voulait dire lorsqu'il parlait
de ligoter les ennemis, car c'est sur lui qu'il s'exerçait
parce que tous les garçons doivent savoir ligoter
leurs ennemis !

L'après-midi, lorsqu'il en avait fini avec ses devoirs
et qu'il pleuvait si fort que la chasse aux souris
ou le tir aux moineaux... tombaient à l'eau, Mathieu
allait chercher une corde et il ligotait le petit ours
en peluche. Il lui attachait les jambes et les bras puis
il le ficelait au pied d'une chaise ou à celui d'une
table, s'exerçant à faire toutes sortes de nœuds et de
boucles. Parfois, il jouait même à le prendre au lasso.

Bien entendu, Mathieu faisait cela en cachette
de sa mère. Une fois pourtant, alors qu'il avait tout
entortillé de ficelle le pauvre Léon, elle arriva sans
prévenir. Il lança alors prestement le petit ours
en peluche sur l'étagère à chapeaux, au-dessus
du porte-manteau du couloir.
Léon y passa quelques jours, recroquevillé et ficelé,
à côté des écharpes et des gants.

Un jour, le facteur le délivra, sans le faire exprès.
Alors qu'il tendait une lettre à la mère de Mathieu, il
se prit les pieds dans le tapis, trébucha et se cogna
au porte-manteau. Ce choc projeta directement
Léon, toujours ficelé comme un saucisson, dans la
grande sacoche entrouverte du facteur.

Celui-ci prit congé sans avoir rien remarqué.
C'est ainsi que le petit ours atterrit au bureau
de poste. Après sa tournée, quand le facteur voulut
vider sa sacoche, il fut très surpris d'y trouver
un ours tout emberlificoté !
– D'où tu viens, toi ? s'interrogea-t-il. Comment
es-tu arrivé là ? Et qui a eu l'idée de te ficeler ainsi ?
Il prit heureusement sans plus attendre une paire
de ciseaux pour couper les liens de Léon.

Le lendemain, il emporta le petit ours en peluche
avec lui. Dans chaque maison où il allait,
il demandait :
– Cet ours serait-il par hasard à vous ? Il est tombé
dans ma sacoche, je me demande bien comment
il a pu arriver là !
Naturellement, la mère de Mathieu reconnut
tout de suite le petit ours en peluche de son fils
et fut aussi ravie qu'étonnée de le retrouver
dans la sacoche du facteur.
– Ça reste pour moi une énigme, dit le facteur,
qui lui raconta comment était ficelé le pauvre ours
lorsqu'il l'avait trouvé dans sa sacoche.
Cette histoire laissa la mère de Mathieu perplexe.

Elle coucha le petit ours dans le lit de Mathieu,
borda sa couverture et referma doucement la porte.

Ce fut une des dernières aventures insolites de Léon.
Il y eut encore ce triste épisode, dont il gardait
un souvenir cuisant. Cela s'était passé le jour
où Mathieu avait perdu le porte-monnaie de tante
Gertrude. Pour calmer sa fureur, il s'en était pris
à Léon et lui avait arraché une oreille !
Entre-temps, son œil recousu était tombé, parce que
le fil qui le retenait s'était usé.

Le projet de cabane dans un arbre était oublié,
Mathieu avait préféré passer les vacances d'été
au bord de la mer, en colonie de vacances.
Il n'avait pas emporté son ours en peluche.
L'été fut bien long à passer pour le pauvre Léon.
La rentrée des classes lui apporta une autre
déception. Mathieu avait maintenant une nouvelle
amie, Gabrielle. Lorsque Mathieu lui présenta Léon,
elle s'exclama d'un air dédaigneux :
– Mais il lui manque un œil et une oreille,
à ta vieille peluche !
Mathieu s'empressa de le ranger sur une des
étagères de son armoire, à côté d'une série d'albums
de timbres qui ne l'intéressaient plus. Léon passa
de longues heures à les feuilleter. Il se souvenait
du facteur et du bureau de poste, et il rêvait
que la mère de Mathieu décidait de coller quelques
timbres sur son dos et de l'expédier très loin ;

il aurait bien aimé aller chez les Indiens.
Son vœu ne fut pas exaucé. Quelqu'un fit cadeau
à Mathieu d'une paire de chaussures de football.
Un jour, en faisant de la place dans son armoire,
il rangea Léon dans la boîte à chaussures vide.
Le couvercle se referma sans que Léon puisse deviner
où Mathieu plaçait la boîte. À partir de ce jour,
le petit ours perdit la notion du temps.

Dans la boîte à chaussures, le temps s'éternisait.
Léon n'avait plus pour repère que l'odeur
des chaussures de football qui s'était peu à peu
transformée en odeur de ranci et de moisi.
Comme tous les ours, il était sensible aux odeurs.
Il entendait bien quelques bruits, même avec
son unique oreille. Mais les voix lui parvenaient
de très loin. Parfois, il avait l'impression que la boîte
bougeait. Il ne s'agissait que d'un mauvais rêve
qui le tirait brusquement de son sommeil ;
dans l'obscurité, il se tournait sur l'autre côté pour
mieux se rendormir.
Un jour, les voix se firent plus proches ; Léon
les entendit même si distinctement qu'il n'eut plus
aucun doute : ce n'était pas un rêve, c'était la voix
de Mathieu.
Le petit ours fut si surpris qu'en se redressant,
il se cogna la tête contre le couvercle.

– Mathieu !, c'était la voix de la mère de Mathieu.
– Ça y est, tu l'as trouvé ? demanda Mathieu
d'une voix beaucoup plus grave qu'autrefois.
– Non, ce petit coquin est bien caché !
La boîte à chaussures fut soudain soulevée, et
le petit ours en peluche fut brinquebalé de droite
à gauche. Des frottements et des crissements firent
bourdonner son oreille, il entendit la voix
de Mathieu, maintenant toute proche, qui disait :
– Tu as dû le jeter !
– Non, je suis ici, à l'intérieur de ce carton
à chaussures ! voulut crier le petit ours.
Le carton fut encore une fois secoué comme
par un tremblement de terre. Soudain, le petit ours
fut aveuglé par une vive lumière.

– Je l'ai, maman ! entendit-il Mathieu crier.
Des mains solides le saisirent, il sentit qu'on
le soulevait en l'air, qu'on lui faisait faire un tour
sur lui-même, puis qu'on le faisait redescendre
plus doucement, avant de l'asseoir avec précaution.
Lentement, il s'habitua à la vive lumière du jour.
– Eh bien ? dit Mathieu en souriant.
Comment vas-tu ? Il y a longtemps qu'on ne s'est
pas vus. Qu'as-tu fait pendant tout ce temps,
dans ton carton ? Tu as dormi ? Je me souvenais
bien qu'il te manquait un œil et une oreille.
Une fois remis en état, je suis sûr qu'elle t'aimera.
Mathieu regardait le petit ours avec tendresse.

Léon était étonné de voir combien il avait grandi.
C'était un homme, maintenant.
Lorsque Mathieu le porta dans le salon,
il se demanda de qui il parlait en disant « elle ».
Il s'agissait peut-être d'une petite fille ?
Léon était trop tourneboulé par toutes ces émotions
pour lui poser la question.
– Tu crois vraiment qu'il lui plaira? demanda
Mathieu à sa mère.
– Pourquoi pas ? Tu l'as tellement aimé. Il suffit
de le confier quelques jours au réparateur de jouets.
Les regards attendris de Mathieu et de sa mère
réconfortaient Léon.

Les jambes bien tendues, il appréciait le confort de
la position assise, lui qui était resté si longtemps
couché dans son carton. Il se sentait malgré tout
un peu fatigué. Quand Mathieu prit congé
de sa mère en emportant son petit ours en peluche,
il traversa le jardin où Léon reconnut le vieux saule.
Arrivé à sa voiture, il assit Léon sur le siège avant
et s'installa au volant. Le petit ours jetait des regards
étonnés à travers le pare-brise en voyant
les branches des grands arbres qui bordaient la route
s'envoler à toute vitesse au-dessus de sa tête.
– Si je ne me trompe, c'est la première fois que
tu montes dans une voiture. Excuse-moi, j'ai oublié
de te présenter Sarah, dit Mathieu en montrant
à Léon la photo d'une jolie petite fille blonde
qui lui souriait.
– Je la connais, voulut dire Léon, mais la stupeur
l'avait rendu muet. Sarah était la petite fille
de son histoire, celle dont il avait si souvent rêvé
dans son triste carton à chaussures.
– Sarah est ma fille, expliqua Mathieu, dans
un mois, elle aura cinq ans, et tu seras son cadeau
d'anniversaire !
Le petit ours en peluche regardait les nuages filer
toujours plus vite à travers les vitres de la voiture.
Il renifla plusieurs fois, pour se rappeler une douce
odeur de savon pour enfants.

ME

GRZ

✿ Ville de Montréal

**Feuillet
de circulation**

À rendre le

12 DEC '96		
11 FEV '97		
20 MAR '97		
22 MAI '97		

06.03.375-8 (05-93)

Dépôt légal
1re édition : février 1996
N° imprimeur : 6192
(Imprimé en France)